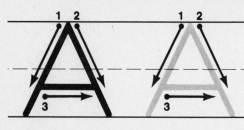

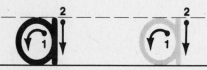

A a A a

A a	a a	A a
A a	A A	a A

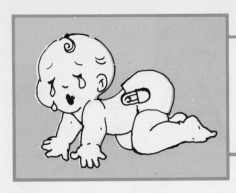

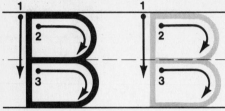

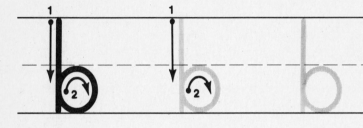

D d

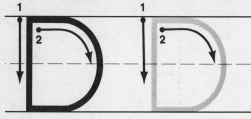

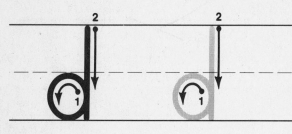

D d

| D b | d c | B D |
| d D | d b | d D |

A B b C	B b C D
B c A C	c a b A
a c C d	D d c a

E e E

e e

E e E e

A C E
D B E
B D E

c a c
e e e
d b d

Ff

F F F
D A C
A B A

f b c
f a d
f d c

Gg

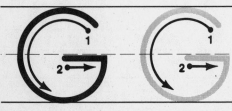

G G G

g g g

Gg Gg

B	G	C
E	G	D
G	F	B

f	d	g
g	c	g
a	b	e

A H f a	c C e G
c b E e	c g h G
D H b d	f b F h

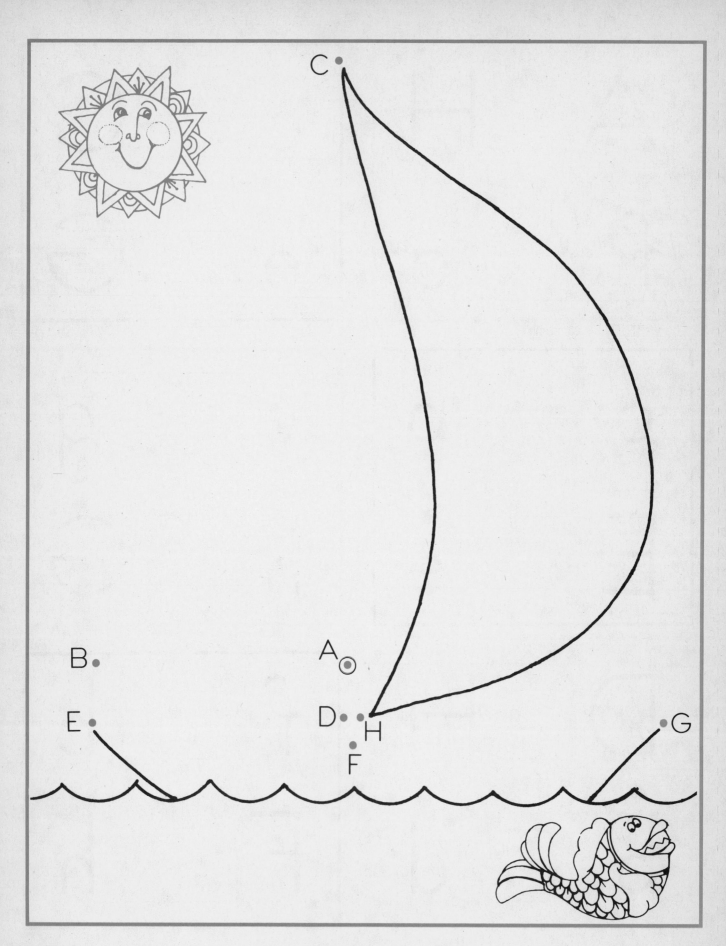

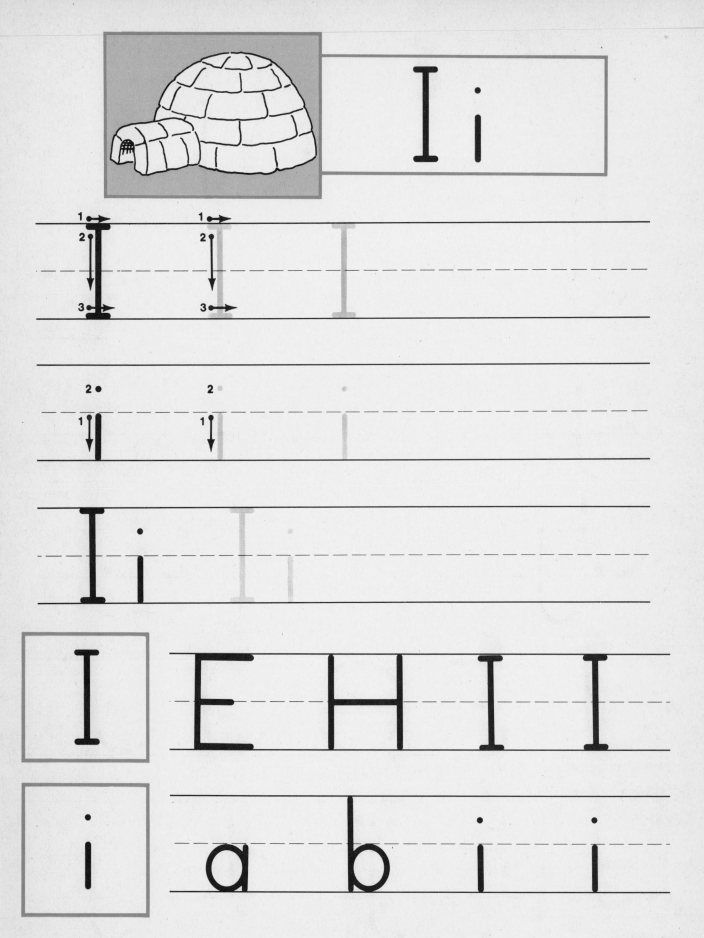

I i

I E H I I

i a b i i

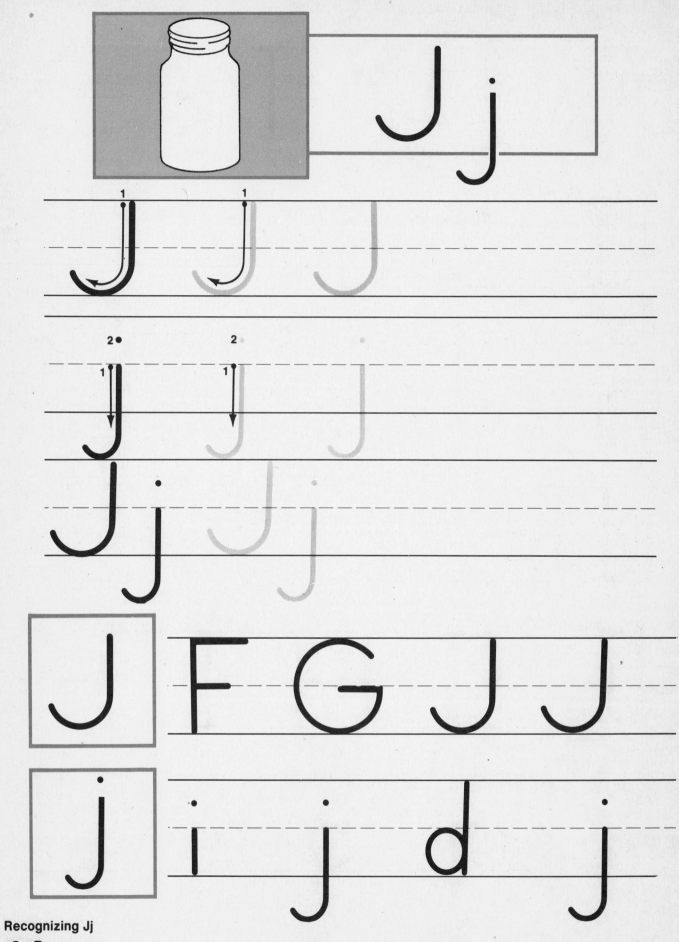

K k

K C K F K

k d k h k

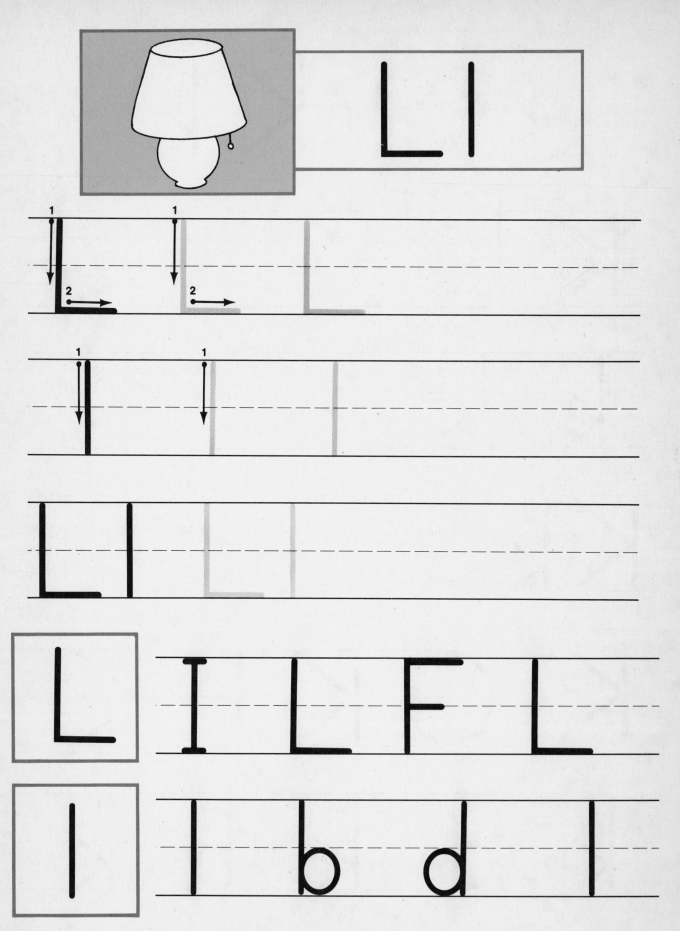

f	g	c
d	e	i
b	b	b

d	k	l
d	h	i
d	g	j

k	l	b
h	h	h
a	i	l

f	c	e
d	k	e
j	g	e

l	k	d
i	k	b
j	k	j

c	c	c
e	d	i
j	g	g

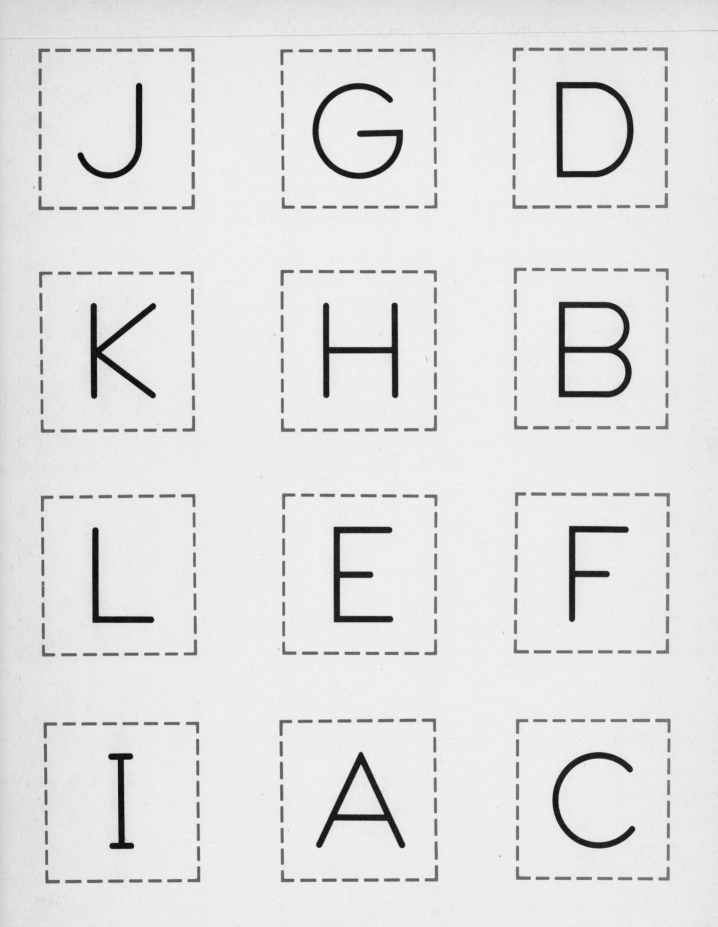

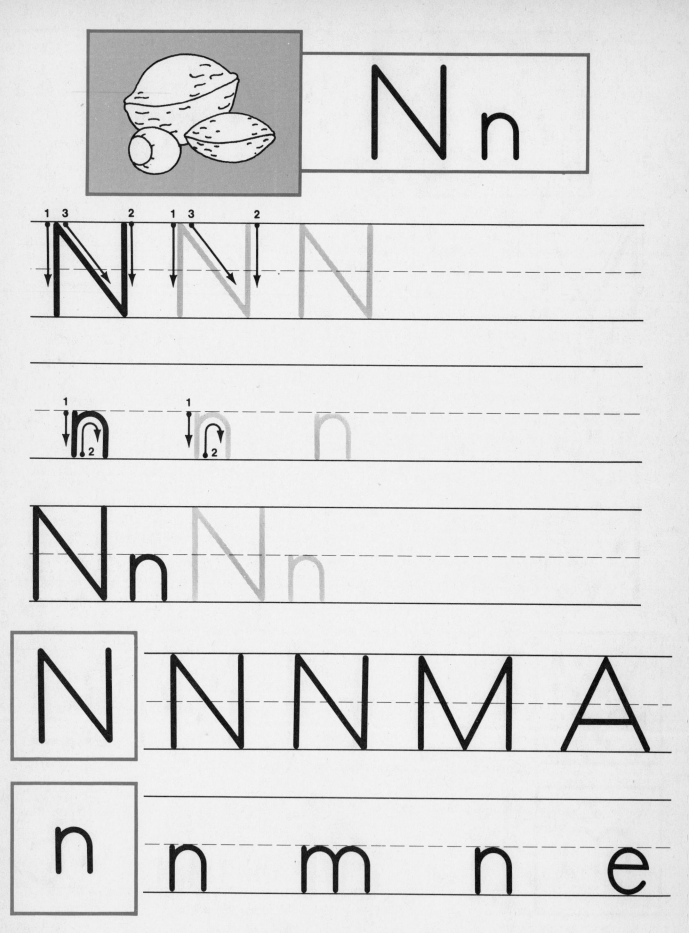

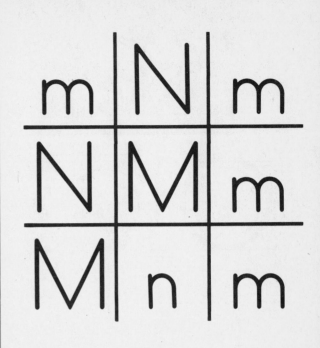

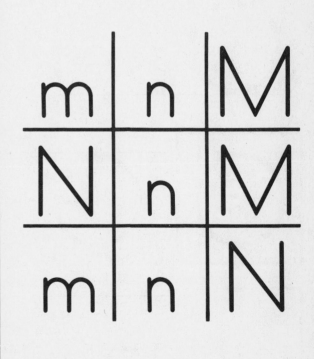

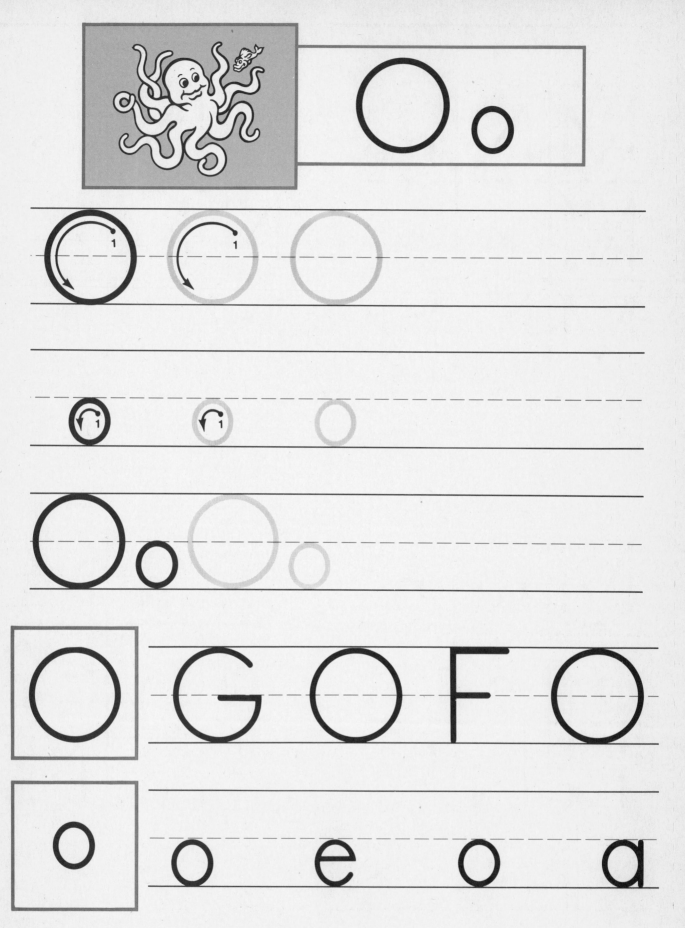

H M M K	F O M O
L F B L	h n m m
k n c k	j j g p

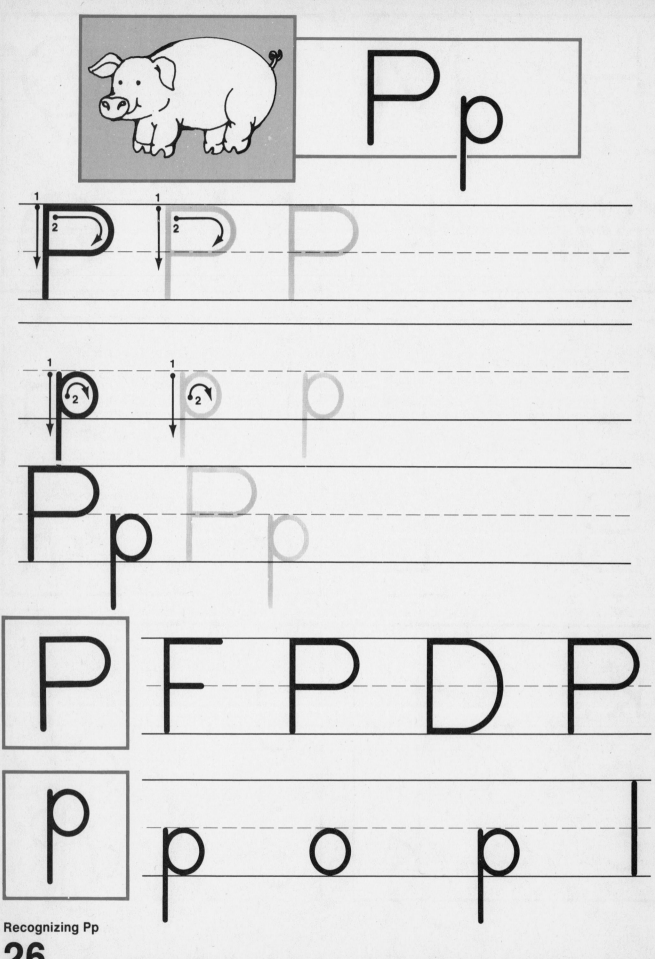

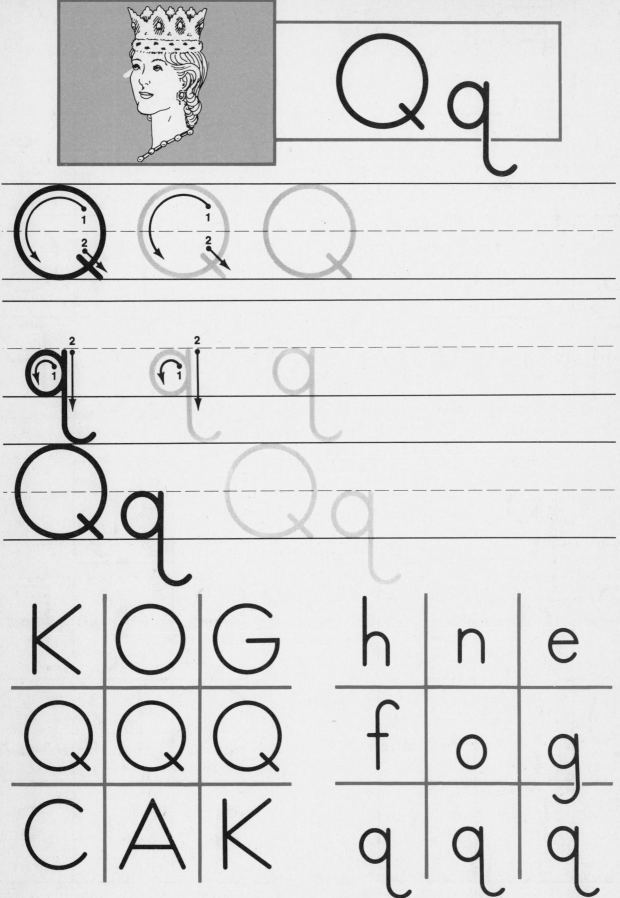

K O G   h n e

Q Q Q   f o g

C A K   q q q

	P		
P	Q	q
Q	P	p
P	q	p

	Q		
Q	q	q
P	P	Q
Q	q	P

	p		
P	q	q
Q	p	Q
p	P	p

	q		
P	q	P
Q	P	Q
q	p	q

Discriminating P, Q, p, and q

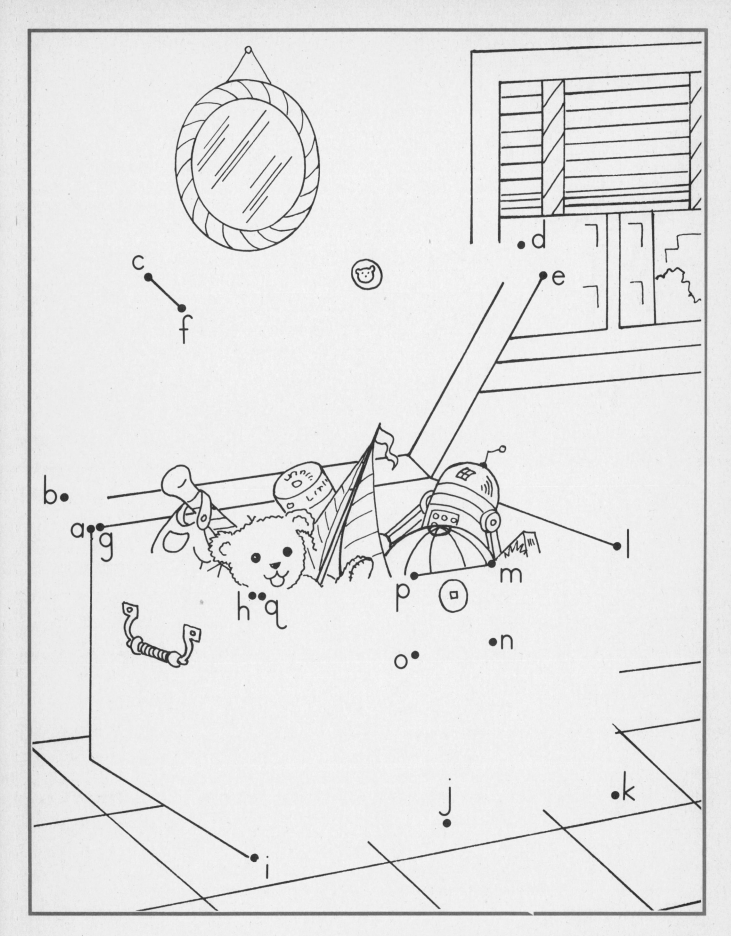

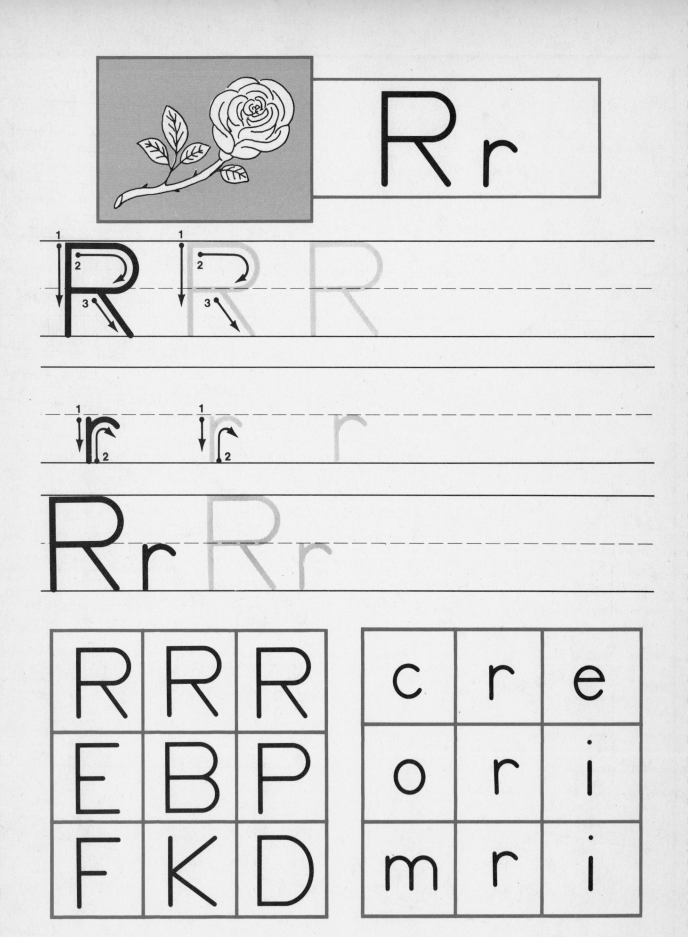

R r

R R R R

r r r

Rr Rr

R	R	R
E	B	P
F	K	D

c	r	e
o	r	i
m	r	i

S s

S̸ S̸ S̸

s̸ s̸ s̸

S s S s

S	S	S
R	J	H
K	N	B

a	e	c
k	r	q
s	s	s

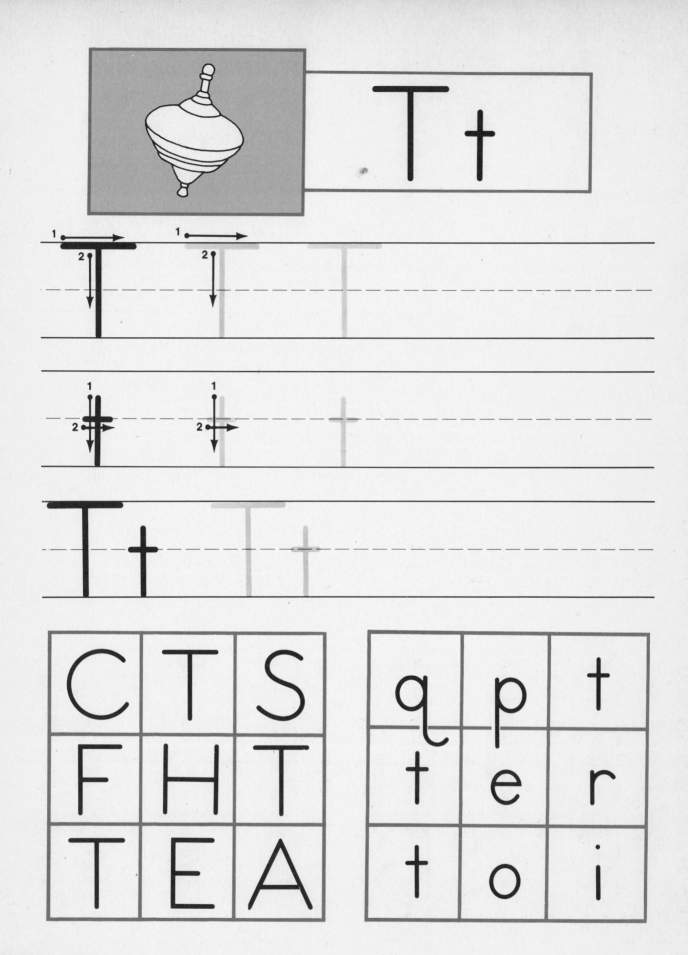

T t

C T S
F H T
T E A

q p t
t e r
t o i

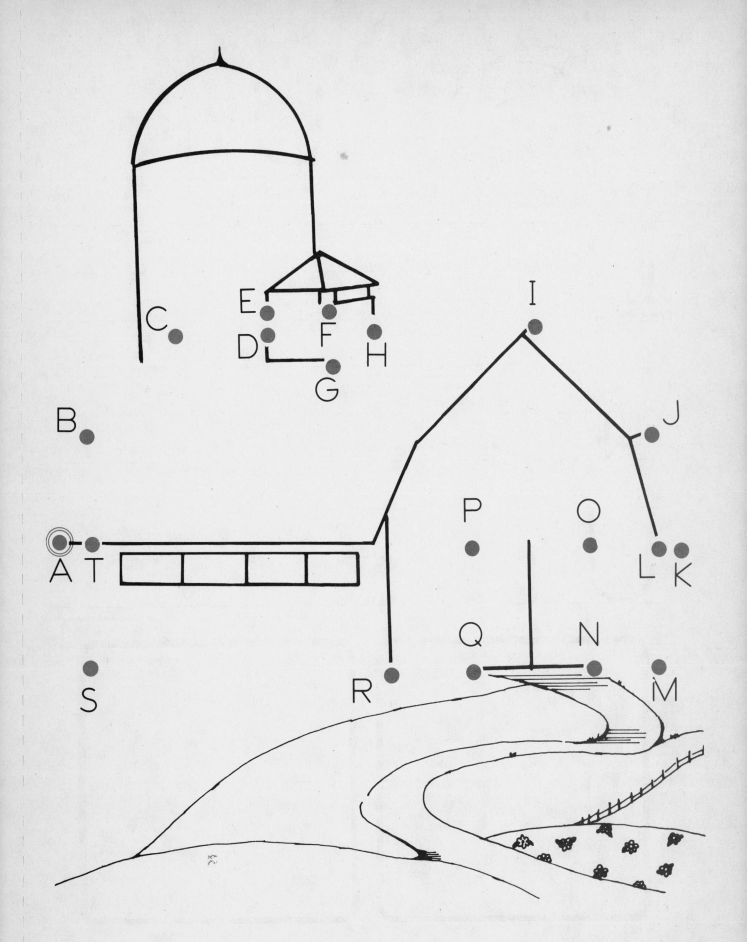

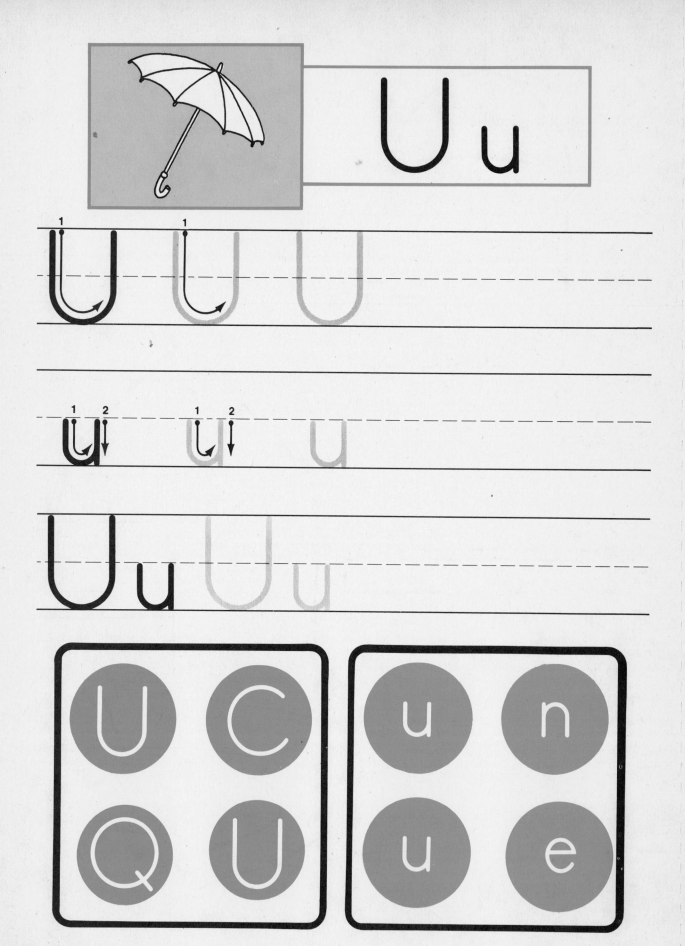

Uu

V v

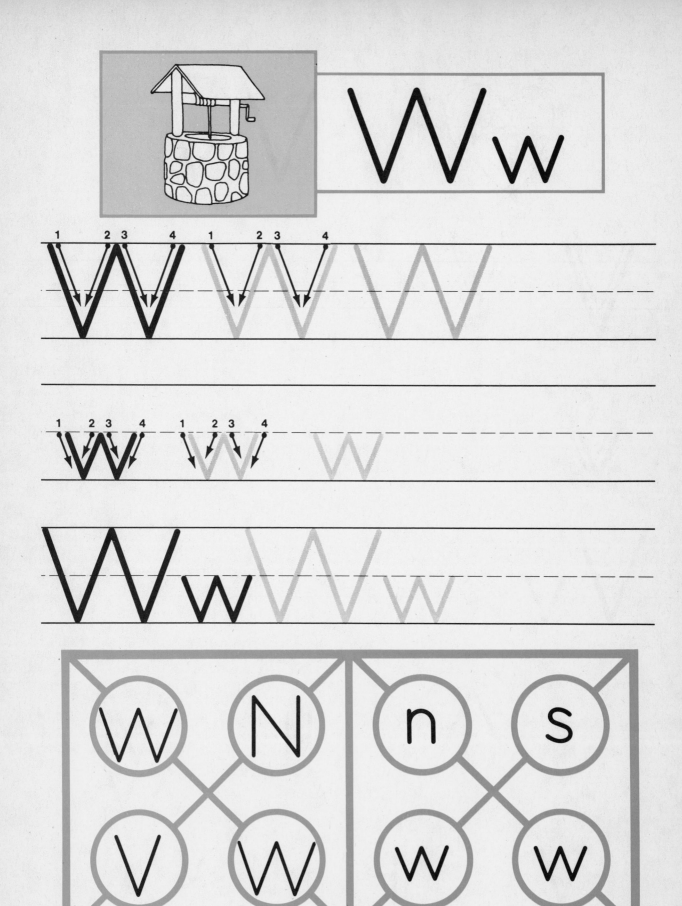

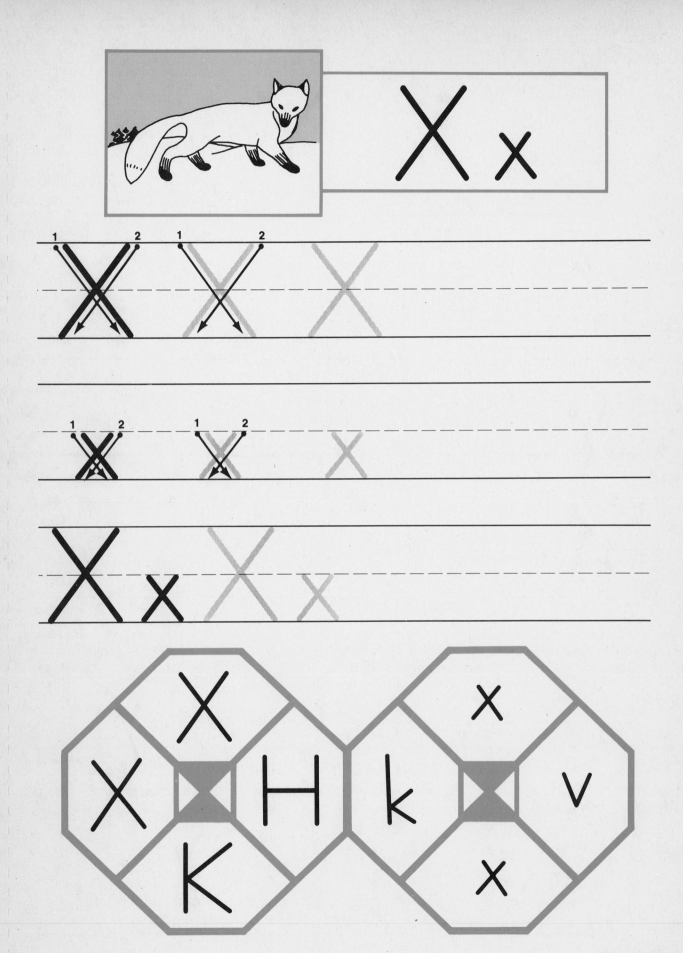

Z z

Z Z Z

z z z

Zz Zz

K Z R
Z Z
E Z U

z u z
s e
z x z

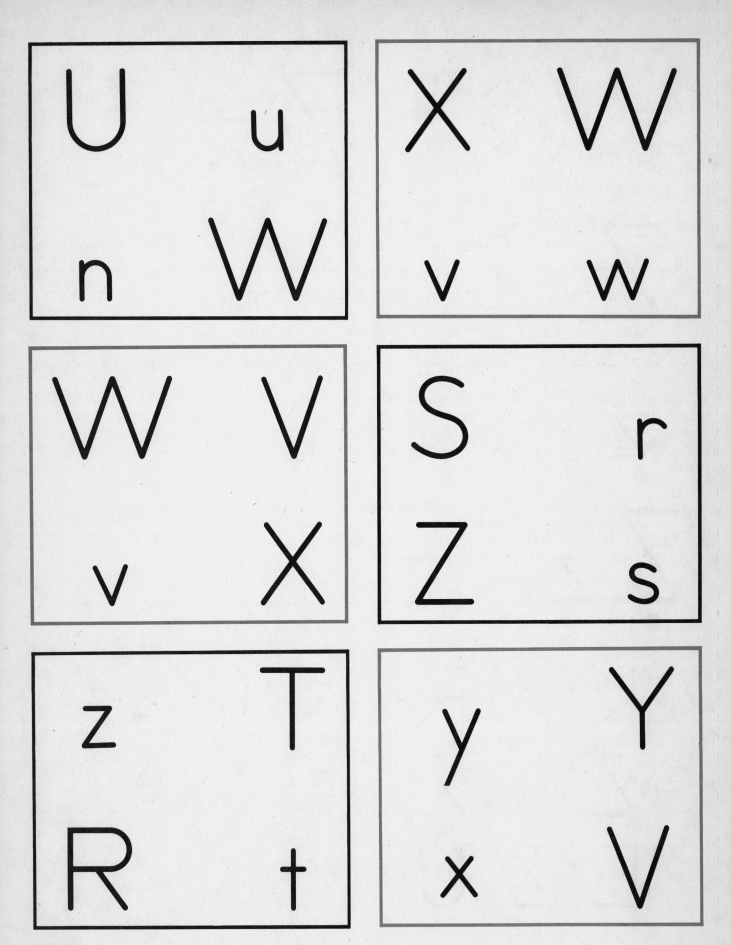

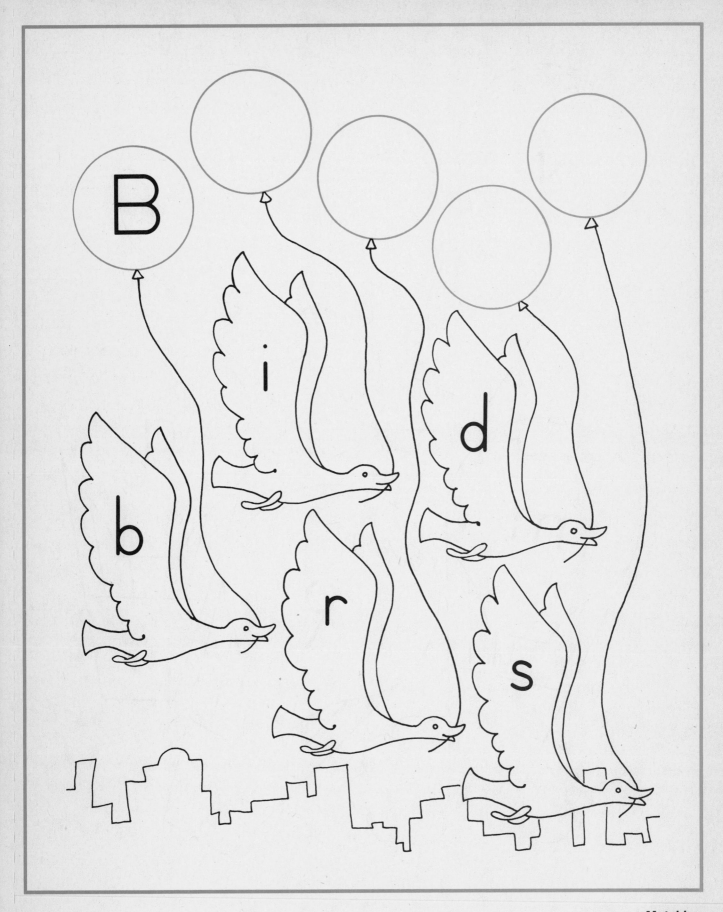

U   R   H   K

MULE ROSE HEN TRUCK

P   D   G   I

POP SLED PIG KITE

e   h   t   s

cone   horse   skate   six

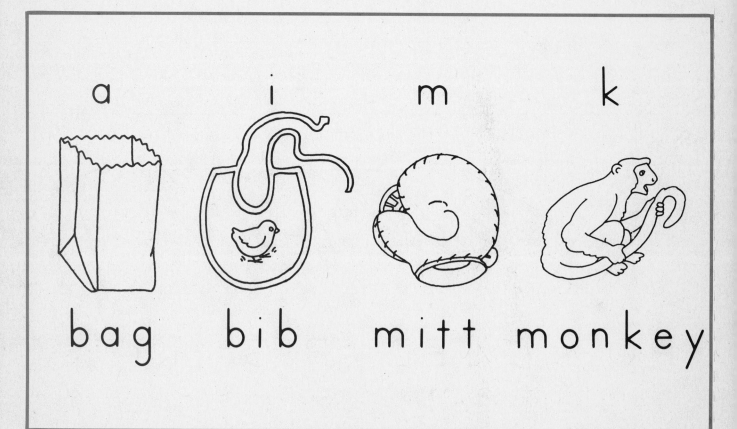

a   i   m   k

bag   bib   mitt   monkey